**Para minha tia Lavínia,
que gosta da poesia da vida.**

© 2003 do texto por Carla Caruso
© 2003 das ilustrações por Angelo Bonito
Callis Editora Ltda.
Todos os direitos reservados.
2ª edição, 2009
4ª reimpressão, 2021

TEXTO ADEQUADO ÀS REGRAS DO NOVO ACORDO ORTOGRÁFICO DA LÍNGUA PORTUGUESA

Publicado sob licença de © Condomínio indivisível dos proprietários dos direitos de autor de Cecília Meireles.
Agenciamento literário e coordenação editorial de Solombra Books (solombrabooks@solombrabooks.com)

Coordenação editorial: Miriam Gabbai
Revisão: Ricardo N. Barreiros
Escaneamento e tratamento das imagens: Márcio Uva
Diagramação: Carlos Magno

CIP-BRASIL. CATALOGAÇÃO-NA-FONTE
SINDICATO NACIONAL DOS EDITORES DE LIVROS, RJ

C317c
2.ed.

Caruso, Carla

   Cecília Meireles / Carla Caruso ; ilustrações de Angelo Bonito. - 2.ed. – São Paulo: Callis Ed., 2009 - il. – (Crianças famosas)

ISBN 978-85-7416-367-3

1. Literatura infantojuvenil. 2. Meireles, Cecília, 1901-1964 – Infância e adolescência - Literatura infantojuvenil. I. Bonito, Angelo, 1962-. II. Título. III. Série.

09-0399.

CDD: 028.5
CDU: 087.5

Índices para catálogo sistemático
1. Literatura infantil 028.5
2. Músicos: Literatura infantojuvenil 028.5

ISBN 978- 85-7416-367-3

Impresso no Brasil

2021
Callis Editora Ltda.
Rua Oscar Freire, 379, 6º andar • 01426-001 • São Paulo • SP
Tel.: (11) 3068-5600 • Fax: (11) 3088-3133
www.callis.com.br • vendas@callis.com.br

Crianças Famosas

Cecília Meireles

Carla Caruso e Angelo Bonito

callis

— Olha o peixe fresco, Sinhá! — lá vinha o peixeiro com uma lata cheia de água, molhando os peixes prateados e brilhantes. As donas de casa iam saindo para ver a mercadoria. Dona Jacinta também.

A pequena Cecília corria logo atrás da avó e, chegando bem perto do portão, olhava e pensava: "Será que jogando água os peixes continuam vivos?".

Depois de comprar, dona Jacinta chamava Cecília:

— Vamos, saia do portão, está na hora do almoço.

Cecília vinha com seu vestido de babado branco cheio de rendas. Passando pelo quintal, a menina ouvia Maria Maruca, estendendo a roupa e cantando:

"Eu fui no Tororó
beber água, não achei,
achei bela morena,
que no Tororó deixei..."

Maria Maruca era assim: vivia cantando, tinha os cabelos vermelhos e o rosto bem branco.

Enquanto punha a mesa para o almoço, dizia um verso para Cecília:

— Minha rica brasileirinha, tu andas muito amarela. Queres pão com queijo? Queres pão com banana?

E a menina ria.

Depois do almoço, Cecília ia andar pela chácara que era bem grande. E ficava muito tempo com seus olhos azul-cinza-esverdeados, olhando para todos os lados.

Às vezes, uma lagartixa aparecia nos tijolos do muro e de repente desaparecia. E as lesmas! Bem vagarosas, debaixo das folhas das árvores. O vento soprava e os passarinhos pareciam falar:

— Bem-te-vi, bem-te-vi.

No quintal morava um papagaio. Cecília ia ver o bicho de penas verdes. Ele não parava quieto, seu bico era bem preto e a língua mais parecia um bicho. E ele vivia falando:

— Currupaco, papaco, a mulher do macaco caiu no buraco!

Cecília punha o bicho em cima do ombro. E andava com ele pelo quintal.

Ela era muito sozinha. Na rua, as meninas chamavam:

— Coisinha! Vem cá, coisinha! Vem brincar!

Mas a avó não deixava.

Cecília não tinha pai nem mãe. Eles haviam morrido. O pai, ela não conheceu, e a mãe ficou com ela só até os três anos. E a menina estava sempre em casa. É que a avó tinha medo que a pequena ficasse doente. Era um tempo bem antigo, não existiam muitas vacinas, assim as crianças podiam pegar doenças com muita facilidade.

Cecília olhava as crianças fazendo umas brincadeiras que tinham diálogos, umas perguntavam e outras respondiam, assim:

— Que tempo será?

— Nini, cocó!

— Laranja da China?

— Tabaco em pó!

— Galo que canta?

— Coró, cocó!

— Pinto que pia?

— Piri, pipi!

Na sala, sozinha, ouvia o relógio com o seu tique--taque e o pêndulo indo de um lado para o outro.

A menina olhava os desenhos do tapete colorido, passava a mão: as cores mudavam e outros desenhos apareciam. Depois, olhava o assoalho de madeira.

Quantas figuras naquelas linhas! Mas os adultos não viam, só quem ficava agachadinho é que podia ver florestas, praias, montanhas, borboletas e santos de mãos postas, tudo desenhado nos veios da madeira. Cecília ficava horas e horas — tique-taque, tique-taque —, descobrindo e imaginando histórias no chão.

Tleque, tleque, tleque!

Cecília ouvia o barulho da máquina de costura da avó.

Lá estava dona Jacinta fazendo aventais e blusas. Cecília gostava de ficar bem pertinho vendo a avó costurar.

Dona Jacinta tinha medo de espetar a menina e então falava:

— Tira-me esses olhinhos daí!

No tempo em que Cecília era pequena, tudo era muito diferente. Não havia carros, nem prédios, nem mercadinhos. Os vendedores iam passando e vendendo suas mercadorias de porta em porta. O fogão era a lenha, e a luz, a gás.

As pessoas viviam mais em casa e conversavam muito raramente com os vizinhos pela janela. E nem iam à praia. Cecília morava no Rio de Janeiro e as pessoas só nadavam no mar se o médico receitasse:

— Um banho de mar. O sal faz muito bem! — diziam os médicos.

O banho era feito com um traje especial, o corpo era todo coberto. E sol, nem pensar!

À noite, um silêncio. Só os grilos com seus cri-cris. A babá ninava Cecília. Ela se chamava Pedrina, tinha os olhos negros, uma pinta bem em cima da boca, que Cecília ficava olhando enquanto ela contava histórias.

Pedrina conhecia todos os personagens do mundo encantado: reis, rainhas, fadas, bruxas, gigantes e anões. E tesouros escondidos. Contava histórias do lobisomem, da mula sem cabeça e do saci-pererê. Pedrina era mágica...

Numa manhã, Cecília estava no quintal com seu papagaio, quando apareceu um jardineiro que dona Jacinta resolveu chamar. Então ele foi colocando suas ferramentas, plantas e sementes de flores em cima de uma mesa.

"Que olhos grandes e de cor de folha", pensou Cecília.

Ele era risonho, parecia estar muito feliz. E quando começou a trabalhar na terra, disse para a menina, que gostava de ficar olhando:

— Daqui é que vai nascer laranjinha doce para você chupar!

Depois de cortar galhos velhos, remexer a terra, molhar, colocar sementes, o homem de olhos cor de folha transformou o jardim: as árvores ficaram mais bonitas, muitos brotinhos de plantas novas e um cheiro bom de barro molhado começava a entrar pela casa. Tudo renascia.

— Eu também quero plantar — disse Cecília.

Pegou grãos de feijão e milho e plantou. Mas tinha pressa e todo dia desenterrava alguns para ver se cresciam.

E a avó falava:

— Olhando não nasce.

Mas, passados uns dias, folhinhas bem delicadas e verdinhas apareceram. Cecília parecia encantada, ficou muito tempo agachada perto dos seus brotinhos, e enfim pensou: "A terra tem muitos mistérios...".

— Hoje vamos fazer uma visita! Dona Jacinta e Pedrina foram se arrumar e chamaram a menina.

Pedrina penteou os cabelos de Cecília, cheios de cachos dourados.

A avó trouxe o vestido todo passado e a correntinha de ouro com uma pedra azul. Depois, puseram pó de arroz nas bochechas.

— Mas esta menina tem uns olhinhos de gato! — disse a avó.

E depois de dar um beijo em Cecília e ver que tudo estava pronto, foram pegar o bonde.

O bonde era puxado por burrinhos que tinham umas campainhas amarradas ao pescoço e suas patinhas estalavam no chão fazendo plec, plec, plec, plec. O cocheiro pegava seu chicote e batia nos burrinhos para que andassem mais depressa. Cecília ficava com pena:

— Que dor! — e não gostava de olhar, fechava os olhos e escondia o rosto na capa da avó.

Mas logo o bonde parou, chegando à casa. Uma moça abriu a porta. A sala tinha um tapete macio e uma cristaleira cheia de coisas. Cecília correu e, com seus olhinhos de gato, observava cada objeto.

A moça abriu a porta de vidro da cristaleira e deixou Cecília pegar as coisas em sua mão. Cecília pegou uma pedra azul transparente.

— Parece que tem água dentro! Parece a Lua e o Sol! Não, parece um navio! — dizia a menina.

Depois pegou um sapatinho de vidro azul com a ponta bem fina e um salto.

"Acho que era sapato de fada", pensava a menina enquanto voltava para casa.

Cecília ainda não sabia ler. Mas gostava de pegar os livros bem velhos que ficavam na estante da avó e olhar. Ela via as figuras, bem atenta, e imaginava que de dentro dos livros saía uma voz que ia contando histórias.

O tempo passou e Cecília foi crescendo, tanto que já era hora de ir para a escola. Matricularam a menina na Escola Estácio de Sá.

A escola foi uma surpresa, cheia de crianças. Na sala de aula, junto com a professora, Cecília começava a escrever cada letra e formava palavras e mais palavras. Era tão boa aluna que quando terminou o primário, em 1910, recebeu uma medalha de ouro por só tirar notas altas.

Na sua casa, vivia em busca dos livros. Um dia pegou um banquinho e foi olhar na estante um livro muito grande. Fez a maior força e conseguiu pegá-lo. Estava escrito na capa *Os três mosqueteiros*.

Era um livro bem antigo do seu avô. Todo cheio de ilustrações. A história, Cecília ficou lendo durante dias. Ela gostava porque parecia que as aventuras dos três mosqueteiros nunca chegavam ao fim.

Outra coisa que Cecília fazia muito era sentar-se numa cadeirinha de vime no quintal e ver as pessoas passando. Quando vinha o vendedor de bilhetes de loterias, por exemplo, ela se imaginava como se fosse ele. Ia andando pelas ruas vendendo os bilhetes premiados. Ficava uma manhã inteira com seus olhinhos de gato olhando e se transportando para a vida das outras pessoas.

— Cecília! Venha almoçar.

E Cecília despertava, como se estivesse sonhando. Assim era ela novamente: uma menina de olhos esverdeados com o uniforme da escola.

Menina?! Menina não era mais, já era adolescente.

— Uma mocinha — diziam todos.

Descobriu que sua mãe chamava-se Matilde Benevides, tinha sido professora primária; e seu pai chamava-se Carlos Alberto Carvalho Meireles e tinha sido funcionário do Banco do Brasil.

Cecília vivia lendo muitos livros que foram de sua mãe. Apaixonou-se também pela história, língua e filosofia orientais.

Ela se interessou por música e começou a aprender canto, violão e violino, e a estudar outras línguas.

Aos dezesseis anos, formou-se professora primária. Cercada pela música, e por tantas histórias e poemas dos livros, Cecília foi despertando para a arte de escrever e lançou seu primeiro livro, chamado *Espectros*, com dezoito anos. Estava sempre estudando assuntos de educação e literatura.

Tornou-se uma grande escritora. Fez muitos livros de poemas para adultos e também para crianças.

Fez até a tradução de um livro oriental chamado *As mil e uma noites*. Seu marido, que era artista plástico, fez as ilustrações. Com ele, teve três filhas, Maria Elvira, Maria Fernanda e Maria Matilde, que também moraram na chácara da vovó Jacinta.

Cecília gostava muito de crianças, flores, praias desertas e noites estreladas. E gostava também do silêncio do seu quarto, onde passava muitas horas — tique--taque, tique-taque — no meio de livros, papéis e tantas palavras escritas...

Leilão do jardim

(do livro *Ou isto ou aquilo*)

Quem me compra um jardim com flores?
Borboletas de muitas cores,
lavadeiras e passarinhos,
ovos verdes e azuis nos ninhos?

Quem me compra este caracol?
Quem me compra um raio de sol?
Um lagarto entre o muro e a hera,
uma estátua da Primavera?

Quem me compra este formigueiro?
E este sapo, que é jardineiro?
E a cigarra e a sua canção?
E o grilinho dentro do chão?

(Este é o meu leilão!)